FOOTBALL ACTIVITY BOOK

For Soccer-Loving Kids
Aged 9-12

CHAD YOUNG

PLEASE REVIEW THIS BOOK!

If you enjoy this book, please ask your Mum or Dad to leave a review on Amazon. This would help future readers and tells them that they could also get lots of fun from the book.
Scan the QR code to go straight to the review page.

Thanks
Chad 👍

THIS BOOK BELONGS TO

_____

Did You Know?

Football is a very old game and might have first been played in China and Japan over two thousand years ago!

Even in England it has probably been played for over 700 years, although it would have looked quite a bit different to the game we know today.

BONUS – FREE FOOTBALL MAZES!

Contact me on:

ChadYoung.fetcham88@gmail.com for your bonus.
Please put FOOTBALL BOOK in the subject line and
include your first name in the email too!

WORD SEARCH

Why not colour him in?

WORD SEARCH INSTRUCTIONS AND TACTICS

Can you find the hidden words?

You might find them going across the box or down the box or diagonally. Some of the words will be read from left to right and some will be read from right to left i.e. backwards! Look carefully!

Some of the words to find are of players or managers and are just their last name. Their full names are available on last page. Some of the words are the names of football teams and some of the words to find are actually two words, but there is no gap in the word puzzle e.g. LONGTHROW . Some of the answers might be joined to other answers, so that maybe one answer across the page joins an answer that runs down the page. Draw carefully around the answers, so that you can see them all!

If you want to learn exactly what they mean you can visit this site to learn their meaning.

https://dictionary.cambridge.org/topics/sports/football-soccer/

Look for the first letter of the word and if you find it see if the next letter is the second letter of the word you're looking for (remember this could be next to the first letter in any direction). Then see if the third letter is there and so on. Cross the words off the list when you find them, so that you can see which ones you still need to find! It's probably easiest to start with the short words.

WORD SEARCH

 FOOTBALL WORD SEARCH - 1

```
H Q G N P E C N Q D T L N I X U E
V A V I U W O U S W H S O E T Z D
D V U X E V G P U X E H T J O G F
N D Y M N I V E L P V R H L M R L
U D L R I T E Y Q S I Y G A H E V
Q D I K L V Z I A T L G I N Y H A
V F R D S E V E N S L N R E Y N T
X L L R I N H A H P A I B S C L T
A I J E U C X V H R N K C R C T A
W C N P A O A O C N S O Q A K C C
A K O O S M L U R R O X M I O K
Y R B O H D E R T O E B U M N H R
K W E C A Y U D K I X N C N G N X
I P T A W Y V R E H O B R X S T W
T U D Y K M R K F I X N Z E Q V U
V V E O M O C M B V M H G U W A U
M O Y E S W D E A D B A L L E T H
```

AREA	MOYES	ATTACK	BOOKING
BRIGHTON	HOLD	NEVES	COOPER
CAUTION	DEAD BALL	SHAW	FLICK
LINE UP	WERNER	THE VILLANS	INGS
NDIDI	ARSENAL	AWAY KIT	MIEDEMA

WORD SEARCH

FOOTBALL WORD SEARCH - 2

```
W O D S G X G T M F D R O F T A W
Y S S E H W P L L H O U C O I Q S
L G R V V N G A S E U L B E H T E
N S U L X F H D E F E N D E R L X
M A P O K T M K L E W Z P R N Y O
B I S W S T S Y D R A V P A I K F
H D S R E B O B G D P X O R F I E
E D I V E N N G F H Q T L W J G H
L F T Y G Y O P O A C K K Q Z Q T
K G D X U C T X M A N I R Q V A Y
C O T E T N A S A A L X W O Y Q E
A K S E D N A N R E F K H R P S J
T F C V T F G F S X L K I C O M G
R G C O N H A N D B A L L C Q N R
Y U S E I R A N A C E H T U K V O
X G G J B Z N M W E S T H A M I S
R D C K Y P A R R I S T E H S A S
```

PARRIS	DEFENDER	FIRST HALF	GOAL KICK
THE FOXES	FERNANDES	HAND BALL	THE BLUES
WEST HAM	NORWICH	TACKLE	WATFORD
KLOPP	VARDY	DIAS	FRANK
GROSS	WOLVES	SPURS	SON

WORD SEARCH

FOOTBALL WORD SEARCH - 3

```
G J Y T E A M S H E E T J R E H S
N E M L B V Y R M C N E I L D P O
O L J C T V O Y A D D E D T I M E
R T M R G G O T L H F S R S G C C
T S B I E O D X T T A O D B A E T
S I Z R S R O I H L H U M L N H
M H S E O E C R A W G K F I F T E
R W O F E U O H B O T Y M B R R E
A S M D B W A A U F H I M E E E A
L A T E I V K T A R S G N Z N H G
B O A N E O O D E C I A C J R A L
U Y N R I I W Y O K L Q X Q O L E
K S A G K A K B Q P A Z T W C F S
U G A M B U S H R I E R S R G M B
E M M E V A H E X T R A T I M E H
L O H D M T L A H N G P L C P M C
V I F O I T Z L S T N O T R E V E
```

THROW IN   CENTRE HALF   CAICEDO   SALAH
BAMFORD   WHISTLE   CORNER FLAG   THE EAGLES
GREALISH   ARMSTRONG   AVERAGE   ROGERS
MCNEIL   ADDED TIME   TEAM SHEET   THE SAINTS
DUGOUT   LONG BALL   EXTRA TIME   EVERTON

WORD SEARCH

FOOTBALL WORD SEARCH - 4

```
X G S U F H R S T V B T H U W M D
T Y Z S I F S H Q P S H Y F L D C
A U J Y X H O C D C M C E G T T L
E N R R F F C R U N O E S A U O R
S F L N N H U S M R E Q T E Q A W
P C Z Z U R P Y R A S B W T B J Y
E A H B W U K I S N T A N S A O O
E W I M R U D I G E R I S S H R I
D A U S E O T Q J C Y O O Q N G N
M Y C Z R I F I V Z R R H N I I O
A G P W I U C T F C T L V X H N T
B A S P Z X K H N H K C P O P H N
O M V V B C M W E Y C A B K A O A
X E J U J W E M O L B T S N R B A
L T E E H S N A E L C R A I L H X
K C I K E L C Y C I B S I M G J D
F K L L A B P O R D K X N K F V A
```

ISAK
SPURS
RAPHINHA
CLEAN SHEET
ANTONIO

BOX
ATTEMPT
AWAY GAME
SCHMEICHEL
CORRIDOR

TURN
MATCH FIT
JORGINHO
BICYCLE KICK
FORMATION

DEEP
DROP BALL
CROSSBAR
BEND
KIRBY

WORD SEARCH

FOOTBALL WORD SEARCH - 5

```
B N B A F I R S T E L E V E N V Q
B A C K F O U R H V F E L N K B O
B T B N B P U K E G R R O U C U V
K H F M O K W S A Y K I A H I R E
D E D O M I G Q D M T F T N K N R
S B O T U C T L E A K C E O E L H
J L T H D R R A R R U L T N E E E
B A L I L I T B M B X S R D R Y A
T D I U G A E H L R Q H A J F Z D
X E E L G L V O O K O M U B P R K
C S L B E A O R A F R F A J O L I
U A G C D K E E A E F C E F I K C
B K G C M H R S F C K I H I V T K
W N V A C B V E E H D S C A N U T
K Q N V U E R B E H A K I I P K D
R P S F D E F E H R T W L Z A Y M
Y P H F E B L V A N D I J K J L C
```

BREAK	HEADER	THE SEAGULLS	BACKHEEL
FIRST ELEVEN	THE BLADES	FREE KICK	FORMATION
LOOKMAN	REFEREE	RASHFORD	BACK FOUR
ARTETA	CELEBRATION	FOURTH OFFICIAL	BALLGIRL
BURNLEY	VANDIJK	CARVALHO	OVERHEAD KICK

WORD SEARCH

```
H N H O M E G A M E E G R X D J S
E G D F G F F K I S E D J Y Y X F
U M G J B U H A T T R I C K D Y Q
K I Q W N L L B K R U Z T R R S B
I D G O A L M O U T H N A P A I D
R F I R S T T O U C H R V B C X I
V I B H T I B N U T M E G S W Y K
C E O F K M H A V E R T Z T O A K
O L H E S E L B Y P A Q O I L R B
R D U N V N T O F Q I N K B L D B
N E N I G M S A E E Y R Q E B I
E R V L N V I R I Y R T B P Y O H
R G V Y I R M I N R Y L I E O X C
K Q G B V G I E T Q T A Y N J R P
I F X R I D K R H V R N O S O A Y
C R T S D G A E Q F I E W S W L T
K Z X O U C S P A P D P S W F U T
```

PEREIRA	TONEY	FIRST TOUCH	SIX YARD BOX
FULL TIME	HOME GAME	TSIMIKAS	DIRTY
HAT TRICK	CROSS	YELLOW CARD	MIDFIELDER
HAVERTZ	BYLINE	PENALTY	FEINT
NUTMEG	GOALMOUTH	CORNER KICK	DIVING

WORD SEARCH

FOOTBALL WORD SEARCH - 7

```
U G T Z Z E R H A M B U V J W F W
A F H I P N S T E R A L C E H T O
S P E V L W O Y I L I L Z Y X W S
Z I H M E D U T Z C S N U U Y M L
U H A P Z X B S P N J U R A Q O N
G C M W W I X P A M D Y L P T Y H
E W M D O H X F S N A P A Y P E E
M O E E L R X T F R F H J I R S C
T L R T X U H E U O I O T U Q M L
U V S I N M N T D O Y U O U I V E
N E H N O G I L L W T G R D O R A
B S X U M Y E L S U A O T P J S R
L X H S F I T G F I O A O R N X D
S U A D F K H L H S B F K H V V Q
R X K E S J M T I L Y E P E S P J
B W A E S W X U E M R Q Y M M U D
R B H L Z E C N A R A E L C X C I
```

DUMMY	THE CLARETS	CLEAR	LEEDS UNITED
FANS	THE HAMMERS	MAHREZ	FIELD OF PLAY
THIAGO	SOUTHAMPTON	WOLVES	NUTMEG
FOUL THROW	SHOOTOUT	CLEARANCE	CHIP
MOYES	MIDTABLE	XHAKA	

WORD SEARCH

 FOOTBALL WORD SEARCH - 8

```
O  F  F  S  I  D  E  H  H  U  L  J  U  M  B  X  B
L  P  L  A  Y  Y  T  A  G  E  M  R  I  F  D  L  O
A  A  U  D  N  M  R  A  H  Y  E  F  Z  Z  K  F  Z
O  E  M  X  W  D  M  C  S  P  M  Y  A  P  U  A  M
G  A  Q  F  E  E  U  D  E  L  M  P  H  K  G  F  D
N  U  E  R  B  T  O  B  E  A  H  O  R  N  E  T  S
E  B  Q  A  D  L  G  X  V  Y  C  I  A  J  A  C  G
D  U  L  Z  E  R  D  G  V  M  Z  A  B  C  S  Q  Y
L  L  W  F  P  F  N  E  T  A  E  O  D  L  Z  F  I
O  C  O  M  Q  R  A  V  H  K  A  V  E  E  L  N  F
G  T  R  C  X  E  E  R  E  E  A  E  R  Y  M  J  N
G  H  H  O  A  E  V  E  R  R  G  R  V  E  N  Y  K
U  T  T  P  S  K  I  S  E  V  A  L  N  T  L  S  T
Q  X  G  H  E  I  G  E  D  J  V  A  N  T  H  N  S
I  X  N  A  T  C  N  R  S  K  A  P  G  J  L  K  O
N  E  O  Q  U  K  A  O  P  R  N  X  Z  Y  O  E  P
K  O  L  D  P  W  N  O  I  T  A  G  E  L  E  R  E
```

MAUPAY	POST	CLUB	PLAY
SETUP	THE REDS	OLD FIRM	RESERVE
OVERLAP	ACADEMY	OFFSIDE	HORNETS
GAME BALL	FREE KICK	PLAY MAKER	GIVE AND GO
LONG THROW	GOLDEN GOAL	RELEGATION	HARDER

WORD SEARCH

FOOTBALL WORD SEARCH - 9

```
F J F B D L I I S J A S L E I B J
S E N K Z O K I R N T M P F Z E S
D N S V K A S M N S I O U E U K O
T Y Q I N O H E T L P K P X F T F
H U C K S H A T N E S T Y P H F F
E R D R H Y K G I A A U X A G E S
T B T F Y Q A E N M E L U H W C I
O E R I G S I L L I S K B I F I D
F D R M K O T H P M K L Z L P T E
F H X B Z E S A S E I R N L J I U
E X R G G S M T L N R B A D K Z T
E G E S A P B O E P M Z L M L E D
S E C P A M U S H T A O K A J N Q
E E C R L V M W U Q H L Y X O S R
Y J O O J A E U U N I N A A X G D
B X S U N E O N E L V D E C W Z U
P R E M I E R S H I P W H S E U B
```

LENO	POPE	CRYSTAL PALACE	PREMIERSHIP
SAVE	OFFSIDE	HOLD	MARKING
PASS	SOCCER	THE CITIZENS	REPLAY
THE TOFFEES	DEBRUYNE	WATKINS	SMITH
GOAL	HOME KIT	LINESMAN	KEANE

WORD SEARCH

FOOTBALL WORD SEARCH - 10

```
G D N E K U P W E F O E P K B E A
O M F E A L L I V N O T S A L N L
A T R U F J E V O M I M H C Z H M
L Z F Q H Z P B G T I L R Z H X I
H I W C J I R U S D V I L O P O R
A A E R A O A E F K C Y A A W O O
N M B O N R F I N E Y V E T O R N
G R W Z D L E H R A P N E P X G E
E W E I A L A T B H O N F F H N L
R J O O D P N L L V O L U G G K D
Z L G M Z E G T Y E Z E S A D I E
A Y T I C N A M U A U G T R Z C W
X A W F F O T N E S Q S A E I K H
U H Z Z H I H K S Q A C R R R O N
D Q W T U T I W M C D B Z R L F P
N C R I O A V O O E I J I P K F J
T H L Q Q P S Y R O T E M Q X R F
```

DI ZERBI   EZE   LOAN   AREA

CASTAGNE   ONE TWO   MAN CITY   ALMIRON

RED CARD   GOAL LINE   GOAL FEST   MIDFIELD

GOAL HANGER   ASTON VILLA   CENTRE CIRCLE   RICE

KICK OFF   SENT OFF   GUARDIOLA   BRONZE

WORD SEARCH

FOOTBALL WORD SEARCH - 11

```
T L G D K R O W D O O W D S Z N R
H D R A U O A H B H J T G Z C E Q
R T M E S P T C E S E Y O M P H R
O A Q S H F T T R E V O P E T S T
U K B H E C A I P Z O L E B M E O
G S Z O J L A P V Z F W Z Q I U Y
H T N R N C U O K E S S R L D Z Z
B R E T F A O R P T T D A U Q S W
A I W B Y T I C R E T S E C I E L
L P C A B I E D O S Q Q I X S P D
L W A L G F K J P T V N D K A X S
W M S L V Q I T U O T O O H S T H
L C T Y D G R X X P X G Z N D O P
U Y L I Q A T K V P V N J H A Z I
O M E M O E S J Y A N J L G H M Z
S K D E C I K N Q G P L A Y E R Q
H M S T O P P A G E T I M E T P I
```

NEWCASTLE	THROUGH BALL	SWEEPER	PLAYER
STRIP	LEICESTER CITY	MOYES	STOPPAGE TIME
STOPPAGE	RULE	STRIKE	MAN ON
RABONA	SQUAD	WOODWORK	SHORT BALL
STEP OVER	PITCH	POACHER	SHOOT OUT

WORD SEARCH

FOOTBALL WORD SEARCH - 12

```
E Y C D S R E N N U G E H T A L F
V L B D M R E P U D S C V I E I E
K X X F I U N G V N M Y T D R V R
K E E P E R X Z R M J R V L A E U
K C B R C S D N H E T B Y N L R S
C H K C I K T O P S B O B H A P S
I E N O I T U T I T S B U S C O E
K N B T K M Y N W V B W H Y I O R
R O F I L M U I D A T S X D N L P
O E L N S P N E U G A E L O H M B
S T D U A G B T P X A Z I S C S I
S U F N B F D S W S V W P L E Q T
I O R A G L S I H J Q O Q T T N L
C R C M E U W S F C N K P O I L A
S K L I P P X S N S U L P R S I D
O S H O M Y O A O H A O P U E Q O
X S V E S K L R A Y A S T H A J X
```

LEAGUE	ASSIST	SET PLAY	SUBSTITUTION
STADIUM	SHIELD	TECHNICAL AREA	PRESSURE
KEEPER	BERGE	LIVERPOOL	THE GUNNERS
WINGBACK	TOUCH	SPOT KICK	SPRINT
ROUTE ONE	SCISSOR KICK	MAN UNITED	SPONSOR

WORD SEARCH

FOOTBALL WORD SEARCH - 13

```
N N A E S L E H C R T A D I W H C
R U U P U W J B R E N T F O R D O
M B F H A G O S L I D E P O Q U S
U P U O N V Z R T I M E D A O B B
R Q G G E S V V K U T N U J S N U
P A W E E B E X P R E U V W O A L
H M N Z N X O R G U A A I I R Q N
Y L M E K Y I E S B N T T I E G T
H R S J E G T W D F O A E D Q O W
B S P X H N Z A I I G I N H E X R
V M E T T C N E R E V U I P O P O
D V T I E W L D L G L L O A W A T
G A I F K D R E S J E K T E A C A
D P H U A M R T O H E T R E M N T
H U A V T O T H E H E D M F H K I
W D D B V I A M R E L O N A W W O
W U J L U G S J L A N O Z W N N N
```

TOE POKE	SLIDE	ANFIELD	ZONAL
BRENTFORD	UPRIGHT	TARGET MAN	VIDEO
RELEGATION	ETIHAD	VIEIRA	HOJLUND
LERMA	ENDO	CHELSEA	ROTATION
MURPHY	TAKE THE KNEE	TIME	WORK RATE

DID YOU KNOW?
FIFA is football's global governing body and was formed in 1904. It's responsible for organising the game's international tournaments such as the FIFA World Cup.

Their moto is:
'For the game. For the world.'

SOLUTIONS

Why not colour
him in?

WORD SEARCH SOLUTIONS

SOLUTION - 1

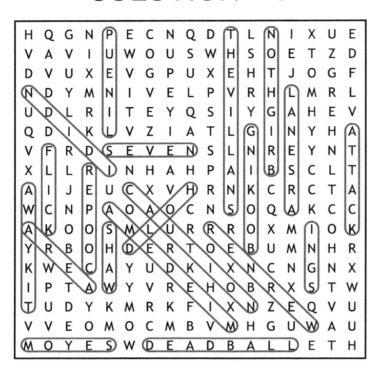

SOLUTION - 2

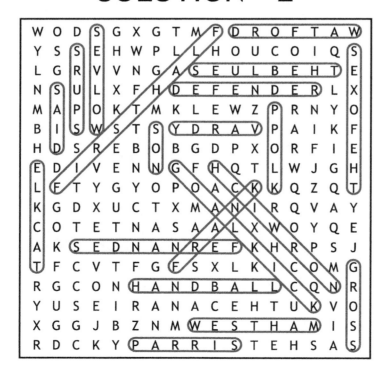

WORD SEARCH SOLUTIONS

SOLUTION - 3

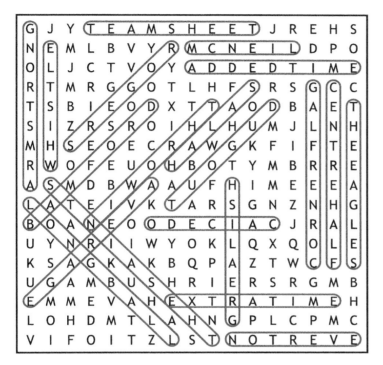

SOLUTION - 4

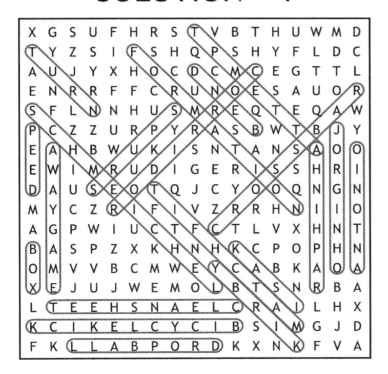

WORD SEARCH SOLUTIONS

SOLUTION - 5

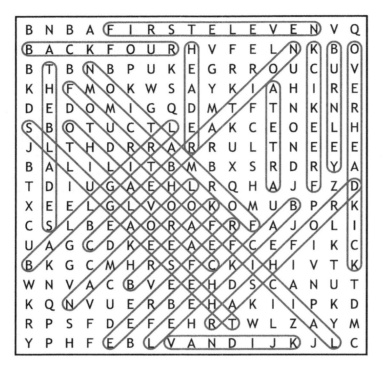

SOLUTION - 6

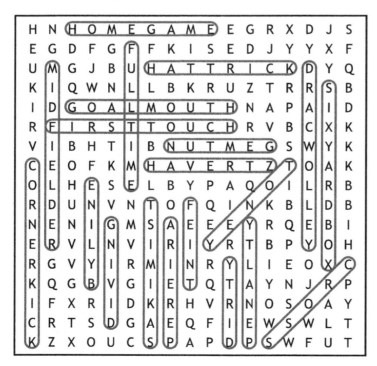

WORD SEARCH SOLUTIONS

SOLUTION - 7

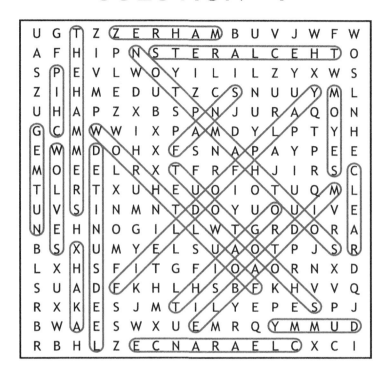

SOLUTION - 8

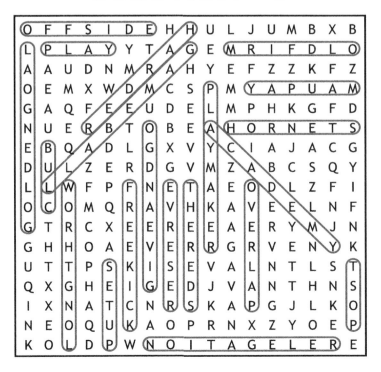

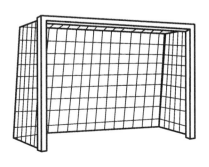

WORD SEARCH SOLUTIONS

SOLUTION - 9

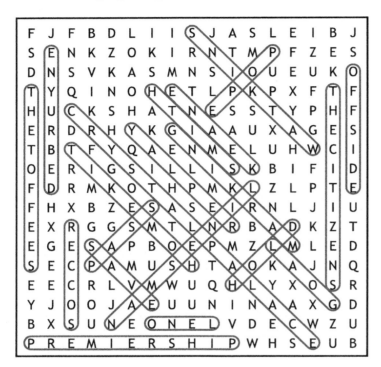

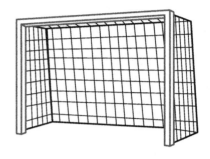

SOLUTION - 10

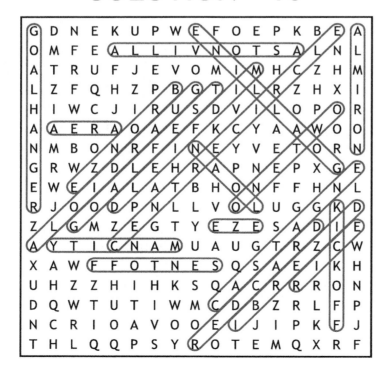

WORD SEARCH SOLUTIONS

SOLUTION - 11

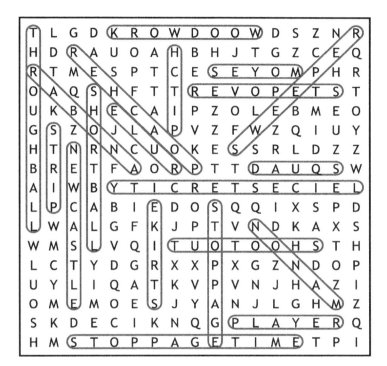

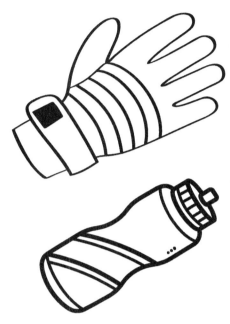

SOLUTION - 12

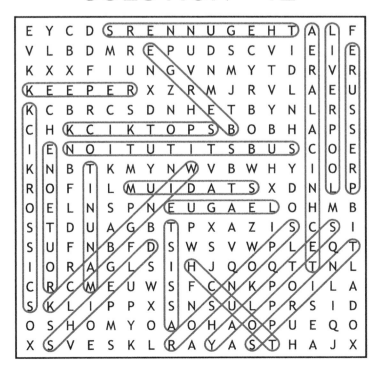

WORD SEARCH SOLUTIONS

SOLUTION - 13

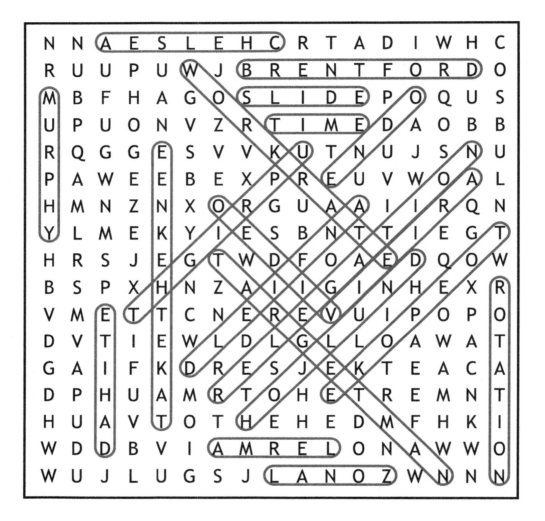

```
N N A E S L E H O R T A D I W H C
R U U P U W J B R E N T F O R D O
M B F H A G O S L I D E P O Q U S
U P U O N V Z R T I M E D A O B B
R Q G G E S V V K U T N U J S N U
P A W E E B E X P R E U V W O A L
H M N Z N X O R G U A A I I R Q N
Y L M E K Y I E S B N T T I E G T
H R S J E G T W D F O A E D Q O W
B S P X H N Z A I I G I N H E X R
V M E T T C N E R E V U I P O P O
D V I I E W L D L G L L O A W A T
G A I F K D R E S J E K T E A C A
D P H U A M R T O H E T R E M N T
H U A V T O T H E H E D M F H K I
W D D B V I A M R E L O N A W W O
W U J L U G S J L A N O Z W N N N
```

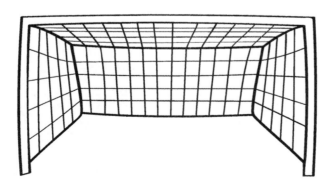

QUIZZES

Why not colour him in?

QUIZ 1

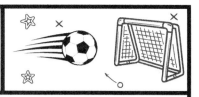

1. Which famous English knockout competition is also the oldest cup tournament in the world?
2. Which players are allowed to use their hands during a game?
3. How many teams are there in the English Premier League?
4. Which British football club has won six European Cups and has the club anthem "You'll Never Walk Alone"?
5. What is the name of the football stadium where England play home matches?
6. At a kick off, how many times is the kicker allowed to kick the ball before it has touched another player?
7. How long is one half of a professional football game?
8. What tradition is used to select ends and the team which kicks off to begin the game?
9. Which country has won the World Cup most times?
10. A dog called Pickles became famous in 1966 for finding what?
11. Which famous football player moved to Los Angeles Galaxy in 2007?

QUIZ 2

1. Which country did Diego Maradona play for?
2. What do footballers wear beneath their socks to protect their ankles and lower legs from injury?
3. How many points does an English Premier League team get if they win the match?
4. The football clubs Rangers and Celtic are teams in which British city?
5. What sort of animal is on both the England and Scotland football badges?
6. Which team does Harry Kane play for?
7. Can you name the record goal scorer for the England national team?
8. What word is used to describe a match between two local rival teams?
9. Which Brazilian footballer is regarded as one of the greatest players of all time?
10. Which football team are nicknamed The Gunners?
11. Which Portuguese footballer is considered the most famous footballer in the world?

QUIZ 3

1. What colour cards can players be shown?
2. Which famous football team play at Old Trafford?
3. The referees on the side lines are technically called what?
4. The biggest event in world football is the World Cup. How often is it played?
5. How many blows of the whistle does the referee give to indicate the end of the game?
6. Real Madrid are from which country?
7. What happens when the ball goes outside of the playing field?
8. Sheffield has two football clubs, which one of these clubs has a day of the week in their name?
9. At least how many yards must the wall be away from a direct free kick?
10. How much of the ball must cross the line before the ball is out of play or a goal is given?
11. What does not contribute towards stoppage time in a match?

QUIZ 1 ANSWERS

1. FA Cup.
2. The Goalkeepers.
3. 20 teams.
4. Liverpool.
5. Wembley Stadium.
6. Once.
7. 45 minutes.
8. A coin toss.
9. Brazil.
10. The World Cup, which had been stolen, but was found in a garden by a dog called Pickles.
11. David Beckham.

QUIZ 2 ANSWERS

1. Argentina.
2. Shinpads.
3. 3 points.
4. Glasgow (in Scotland).
5. A lion (England has three lions on its badge, Scotland has one).
6. Tottenham Hotspur (Spurs).
7. Wayne Rooney.
8. A Derby.
9. Pele.
10. Arsenal.
11. Cristiano Ronaldo.

QUIZ 3 ANSWERS

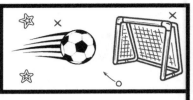

1. Red and Yellow.
2. Manchester United.
3. Assistant Referees.
4. Every 4 years.
5. 3.
6. Spain.
7. A throw in is taken by the team that didn't kick it out of the pitch.
8. Sheffield Wednesday.
9. 10 Yards.
10. All of it.
11. A penalty kick.

TIME TO DESIGN

KIT DESIGN 1

HOME KIT
Can you design your own football gear?

KIT DESIGN 2

AWAY KIT

BADGE DESIGN

BADGE

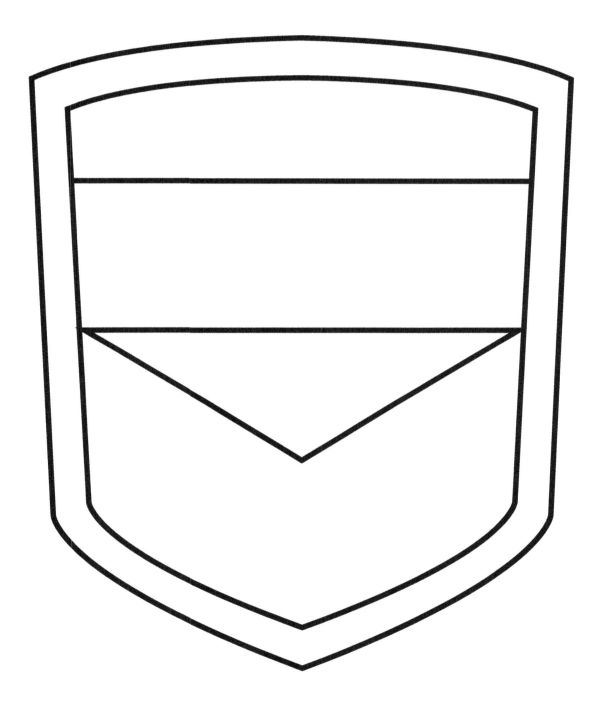

ACTIVITIES

CODE BREAKING   1

A foreign team are trying to buy new players for their squad. They are using code to keep the names a secret.

Can you crack the codes and find out who they want?

Use the bottom row of letters to work out what the correct names are.

Example   **DPUV** is the name   **NEIL**

LETTER	A	B	C	D	E	F	G	H	I	J	K	L	M
CODE	F	J	K	N	P	A	Q	S	U	R	G	V	Z

LETTER	N	O	P	Q	R	S	T	U	V	W	X	Y	Z
CODE	D	T	W	E	L	C	O	M	Y	H	I	X	B

Player 1   S   F   L   L   X   G   F   D   P
Answer

Player 2   Z   U   K   S   F   U   V   F   D   O
Answer

Player 2   T   D   U   T
Answer

Player 3   L   M   J   P   D   D   P   Y   P   C
Answer

Player 4   R   F   Z   U   P   Y   F   L   N   X
Answer

Player 5   G   F   C   W   P   L
Answer

Player 5   C   K   S   Z   P   U   K   S   P   V
Answer

Player 6   G   M   V   M   C   P   Y   C   G   U
Answer

ACTIVITIES

DRAW LINES TO MATCH THE INFORMATION TO THE CORRECT TEAM

Riyad Mahrez	Crystal Palace
Trent Alexander-Arnold	Chelsea
Richarlison	Tottenham
Patrick Vieira	West Ham
David Moyes	Bournemouth
Standford Bridge	Norwich
Youri Tielemans	Man United
Marcus Rashford	Brentford
The Hornets	Wolves
Ivan Toney	Leicester City
Bernado Silva	Liverpool
Tim Krull	Watford
The Cherries	Everton
Demarai Gray	Man City

CODE BREAKING 2

Team X need a new manager and are looking at ones in the Premier League.

Can you crack the code to work out which ones they are targeting?

Example DPUV is the name NEIL

LETTER	A	B	C	D	E	F	G	H	I	J	K	L	M
CODE	F	J	K	N	P	A	Q	S	U	R	G	V	Z

LETTER	N	O	P	Q	R	S	T	U	V	W	X	Y	Z
CODE	D	T	W	E	L	C	O	M	Y	H	I	X	B

Manager 1 Answer	R	M	L	Q	P	D		G	V	T	W	W	

Manager 2 Answer	J	L	P	D	N	F	D		L	T	Q	P	L	C

Manager 3 Answer	N	F	Y	U	N		Z	T	X	P	C	

Manager 4 Answer	C	O	P	Y	P	D		Q	P	L	L	F	L	N

Manager 5 Answer	F	D	O	T	D	U	T		K	T	D	O	P

Manager 6 Answer	P	L	U	G		O	P	D	S	F	Q	

Manager 7 Answer	R	P	C	C	P		Z	F	L	C	K	S	

Manager 8 Answer	Z	P	L	K	T		C	U	V	Y	F	

ACTIVITIES

FOOTBALL SUMS

Question 1

It's the start of the season and your team have won all of the first 3 games (they get 3 points for each win). How many points do they have now?

Solution

3(points) + 3 (points) + 3 (points) = _____

Question 2

Imagine you are the manager of a football club. You have been given £40 million to buy new players and want to buy 2 players that cost £10 million in total. How much will you have left once these deals go through?

Solution

£40m take away £10m = £_____ m.

Question 3

You then sell one of your players and get £8m for him how much money do you have now?

Write your solutions from Question 2 here £   + £8m = £   m

Question 4

You sell another player and get £5m for him. How much money do you have now?

Write your answer from Q3 hare £   m + £5m = £   m

Activity
Dot to Dot

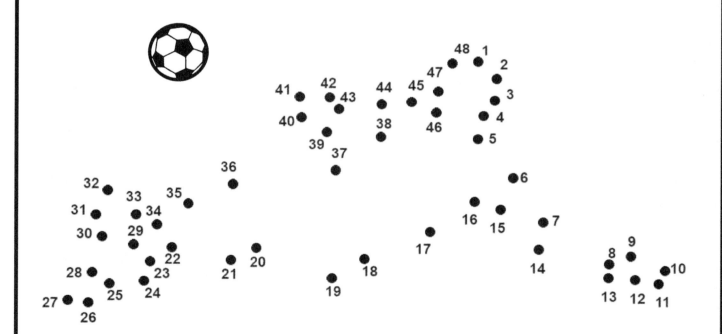

ACTIVITIES

CHOOSE YOUR DREAM TEAM

Here are some great players from the Premier League. Which 11 players would you choose for your dream team?

Draw around the ones that you would want in your team. You can choose 3 subs as well! Put a small S next to the ones you want on your bench.

Jordan Pickford	Dominic Calvert-Lewin	Yves Bissouma
Gary Cahill	Jadon Sancho	Mohamed Salah
Edinson Cavani	Sergio Reguilón	Christian Pulisic
Oliver Skipp	Andros Townsend	David de Gea
Harry Winks	Jessie Lindgard	Steve Cook
Jamie Vardy	Jorginho	Harry Maguire
Callum Wlison	Luke Ayling	Hugo Lloris
Patrick Bandford	Jonjo Shelvey	Tyrone Mings
Emile Smith Rowe	Bukayo Saka	Che Adams

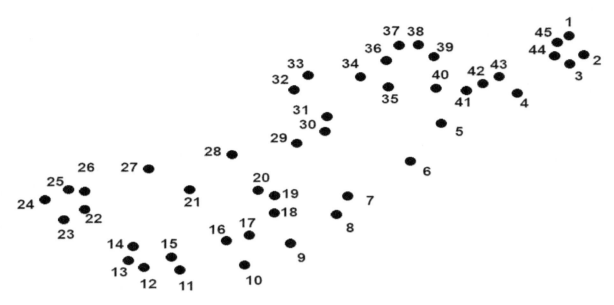

Activity
Dot to Dot

ACTIVITIES

Write down 10 things that are good about playing team sports like Football.

1. _____

2. _____

3. _____

4. _____

5. _____

6. _____

7. _____

8. _____

9. _____

10. _____

Activity
Dot to Dot

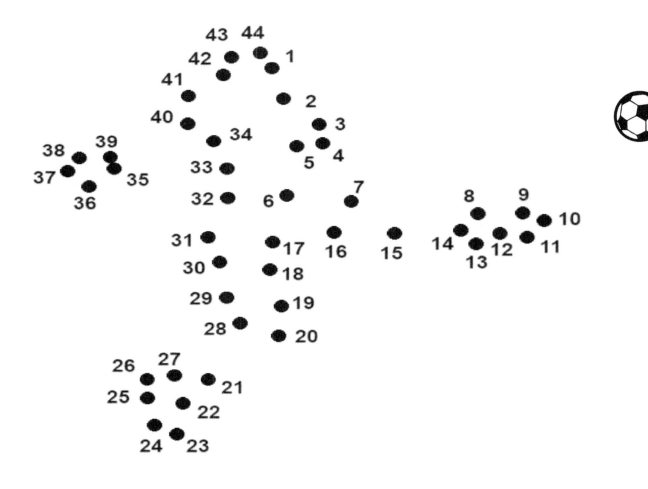

CROSSWORD 1

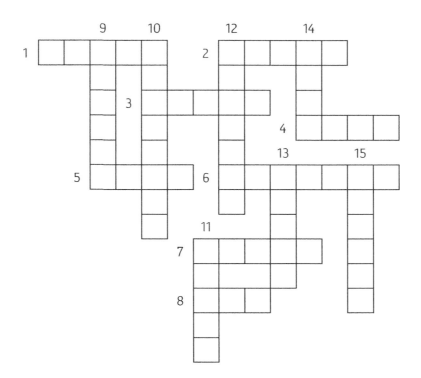

Across
1. A recording device to allow replays of potential foul play
2. Where the substitutes sit
3. Where your arm bends
4. The upright of the goal
5. Playing very close to your own goal
6. The material used in a goal to stop the ball
7. A type of feint
8. The colour of card shown to a player who needs to leave the field of play

Down
9. The opposite of attack
10. Where the ball travels above the head
11. Not playing fairly
12. A player recieves this if they make a foul
13. Groups of football players representating clubs
14. A small kick into the air
15. If the ball is played through the opponents legs

CROSSWORD 2

Across
1. The middle of the pitch
2. A player recieves this if they make a foul
3. Groups of football players representating clubs
4. Where the substitutes sit
5. A special kind of kick
6. The ground on which the game is played
7. What is scored
8. The colour of card shown to a player who needs to leave the field of play

Down
9. The opposite of defend
10. An effort on goal
11. The long part of the goal
12. The cup given to the winning team
13. To hit the ball with your head
14. If the ball is played through the opponents legs
15. Playing very close to your own goal
16. Where the ball touches the arm or hand

CROSSWORD SOLUTION 1

The crossword solution grid:

Across:
1. video
2. bench
3. elbow
4. post
5. deep
6. netting
7. dummy
8. red

Down:
9. defend
10. overhead
11. dirty
12. bookings
13. teams
14. chip
15. nutmeg

Across
1. A recording device to allow replays of potential foul play
2. Where the substitutes sit
3. Where your arm bends
4. The upright of the goal
5. Playing very close to your own goal
6. The material used in a goal to stop the ball
7. A type of feint
8. The colour of card shown to a player who needs to leave the field of play

Down
9. The opposite of attack
10. Where the ball travels above the head
11. Not playing fairly
12. A player recieves this if they make a foul
13. Groups of football players representing clubs
14. A small kick into the air
15. If the ball is played through the opponents legs

CROSSWORD SOLUTION 2

```
                                          15
                                          d
                           11             e
                       1  c  e  n  t  r  e
                9         r                p
                a  2  b  o  o  k  i  n  g
                t    10 s
           3  t  e  a  m  s                      16
                a     t  4  b  e  n  c  h         h
                c     t         14                a
                k     e  5  r  a  b  o  n  a       n
                      m  12    13    u            d
                   6  p  i  t  c  h   t           b
                      t     r  e      m           a
                            o  a      e           l
                            p  d  7  g  o  a  l
                            h  e
                            y  8  r  e  d
```

Across
1. The middle of the pitch
2. A player recieves this if they make a foul
3. Groups of football players representating clubs
4. Where the substitutes sit
5. A special kind of kick
6. The ground on which the game is played
7. What is scored
8. The colour of card shown to a player who needs to leave the field of play

Down
9. The opposite of defend
10. An effort on goal
11. The long part of the goal
12. The cup given to the winning team
13. To hit the ball with your head
14. If the ball is played through the opponents legs
15. Playing very close to your own goal
16. Where the ball touches the arm or hand

WORD SCRAMBLE

cphi = _ _ _ _ _ _ _ _ _ _ _ _ _ _

giisdln = _ _ _ _ _ _ _ _ _ _ _ _ _ _

emgnraa = _ _ _ _ _ _ _ _ _ _ _ _ _ _

eddfen = _ _ _ _ _ _ _ _ _ _ _ _ _ _

ubisuetstt = _ _ _ _ _ _ _ _ _ _ _ _ _ _

lano = _ _ _ _ _ _ _ _ _ _ _ _ _ _

mddefrieli = _ _ _ _ _ _ _ _ _ _ _ _ _ _

alugee = _ _ _ _ _ _ _ _ _ _ _ _ _ _

endeferd = _ _ _ _ _ _ _ _ _ _ _ _ _ _

ckatta = _ _ _ _ _ _ _ _ _ _ _ _ _ _

encbh = _ _ _ _ _ _ _ _ _ _ _ _ _ _

naeytlp = _ _ _ _ _ _ _ _ _ _ _ _ _ _

ptaecotssr = _ _ _ _ _ _ _ _ _ _ _ _ _ _

yamcdea = _ _ _ _ _ _ _ _ _ _ _ _ _ _

emtoipiontc = _ _ _ _ _ _ _ _ _ _ _ _ _ _

uofl = _ _ _ _ _ _ _ _ _ _ _ _ _ _

aepolvr = _ _ _ _ _ _ _ _ _ _ _ _ _ _

kcbaulfl = _ _ _ _ _ _ _ _ _ _ _ _ _ _

ndlabalh = _ _ _ _ _ _ _ _ _ _ _ _ _ _

eltshwi = _ _ _ _ _ _ _ _ _ _ _ _ _ _

rrsaoscb = _ _ _ _ _ _ _ _ _ _ _ _ _ _

ahmigtsrn = _ _ _ _ _ _ _ _ _ _ _ _ _ _

erirpme = _ _ _ _ _ _ _ _ _ _ _ _ _ _

pjmu = _ _ _ _ _ _ _ _ _ _ _ _ _ _

ckki = _ _ _ _ _ _ _ _ _ _ _ _ _ _

pnimhhoicpsa = _ _ _ _ _ _ _ _ _ _ _ _ _ _

etcnre = _ _ _ _ _ _ _ _ _ _ _ _ _ _

ylinbe = _ _ _ _ _ _ _ _ _ _ _ _ _ _

olga = _ _ _ _ _ _ _ _ _ _ _ _ _ _

epekre = _ _ _ _ _ _ _ _ _ _ _ _ _ _

oofalblt = _ _ _ _ _ _ _ _ _ _ _ _ _ _

vereadoh = _ _ _ _ _ _ _ _ _ _ _ _ _ _

gemnut = _ _ _ _ _ _ _ _ _ _ _ _ _ _

ummdy = _ _ _ _ _ _ _ _ _ _ _ _ _ _

hamct = _ _ _ _ _ _ _ _ _ _ _ _ _ _

ilsnmena = _ _ _ _ _ _ _ _ _ _ _ _ _ _

yirtd = _ _ _ _ _ _ _ _ _ _ _ _ _ _

onbara = _ _ _ _ _ _ _ _ _ _ _ _ _ _

rupog = _ _ _ _ _ _ _ _ _ _ _ _ _ _

ihedls = _ _ _ _ _ _ _ _ _ _ _ _ _ _

igodlnh = _ _ _ _ _ _ _ _ _ _ _ _ _ _

gkobion = _ _ _ _ _ _ _ _ _ _ _ _ _ _

mseat = _ _ _ _ _ _ _ _ _ _ _ _ _ _

rreerefe = _ _ _ _ _ _ _ _ _ _ _ _ _ _

oyhprt = _ _ _ _ _ _ _ _ _ _ _ _ _ _

aepmttt = _ _ _ _ _ _ _ _ _ _ _ _ _ _

WORD SCRAMBLE SOLUTION

cphi	=	chip	pjmu	=	jump
giisdln	=	sliding	ckki	=	kick
emgnraa	=	manager	pnimhhoicpsa	=	championship
eddfen	=	defend	etcnre	=	centre
ubisuetstt	=	substitute	ylinbe	=	byline
lano	=	loan	olga	=	goal
mddefrieli	=	midfielder	epekre	=	keeper
alugee	=	league	oofalblt	=	football
endeferd	=	defender	vereadoh	=	overhead
ckatta	=	attack	gemnut	=	nutmeg
encbh	=	bench	ummdy	=	dummy
naeytlp	=	penalty	hamct	=	match
ptaecotssr	=	spectators	ilsnmena	=	linesman
yamcdea	=	academy	yirtd	=	dirty
emtoipiontc	=	competition	onbara	=	rabona
uofl	=	foul	rupog	=	group
aepolvr	=	overlap	ihedls	=	shield
kcbaulfl	=	fullback	igodlnh	=	holding
ndlabalh	=	handball	gkobion	=	booking
eltshwi	=	whistle	mseat	=	teams
rrsaoscb	=	crossbar	rreerefe	=	referree
ahmigtsrn	=	hamstring	oyhprt	=	trophy
erirpme	=	premier	aepmttt	=	attempt

MAZES

MAZE

FOOTBALL MAZE - 1

MAZE

FOOTBALL MAZE - 2

MAZE

 FOOTBALL MAZE - 3

MAZE

FOOTBALL MAZE - 4

MAZE

FOOTBALL MAZE - 5

MAZE

FOOTBALL MAZE - 6

MAZE

FOOTBALL MAZE - 7

MAZE

FOOTBALL MAZE - 8

MAZE

FOOTBALL MAZE - 9

MAZE SOLUTIONS

Why not colour him in?

MAZE SOLUTIONS

SOLUTIONS - 1

MAZE SOLUTIONS

SOLUTIONS - 2

MAZE SOLUTIONS

SOLUTIONS - 3

MAZE SOLUTIONS

SOLUTIONS - 4

MAZE SOLUTIONS

SOLUTIONS - 5

MAZE SOLUTIONS

SOLUTIONS - 6

SOLUTIONS - 7

MAZE SOLUTIONS

SOLUTIONS - 8

MAZE SOLUTIONS

SOLUTIONS - 9

WORD SEARCH FULL NAMES

Word Search Name	Full Name
Antonio	Michail Antonio
Armstrong	Stuart Armstrong
Arteta	Mikel Arteta
Bamford	Patrick Bamford
Berge	Sander Berge
Bronze	Lucy Bronze
Caicedo	Moises Caicedo
Carvalho	Fabio Carvalho
Castagne	Timothy Castagne
Cooper	Steve Cooper
Dias	Ruben Dias
Di Zerbi	Roberto Di Zerbi
Endo	Wataru Endo
Fernandes	Bruno Fernandes
Frank	Thomas Frank
Grealish	Jack Grealish
Gross	Pascal Gross
Harder	Pernille Harder
Hojlund	Rasmus Hojlund
Ings	Danny Ings
Isak	Alexander Isak
Jorginho	Jorge Luiz Frello Filho Cavaliere OMRI, known as Jorginho
Kirby	Fran Kirby
Klopp	Jurgen Klopp
Leno	Bernd Leno
Lerma	Jefferson Lerma
Lookman	Ademola Lookman
Maupay	Neal Maupay
McGoldrick	David McGoldrich
McNeil	Dwight McNeil
Miedema	Vivianne Miedema
Moyes	David Moyes
Ndidi	Wilfred Ndidi
Neves	Ruben Neves
Parris	Nikita Parris
Pope	Nick Pope
Raphinha	Raphael Dias Belloli, known as Raphinha
Rashford	Marcus Rashford
Rogers	Brendan Rogers
Salah	Mohamed Salah
Schmeichel	Kasper Schmeichel
Shaw	Luke Shaw
Son	Hueng-Min Son
vanDijk	Virgil van Dijk
Vardy	Jamie Vardy
Werner	Timo Werner

PLEASE REVIEW THIS BOOK!

If you've had fun working through this book, please ask your Mum or Dad to leave a review on Amazon, as that would really help future readers.

The QR code will take them straight through to the review page.

Thanks
Chad 👍

SCAN ME

BONUS – FREE FOOTBALL MAZES!

Contact me on:
ChadYoung.fetcham88@gmail.com for your bonus.
Please put FOOTBALL BOOK in the subject line and include your first name in the email too!

Printed in Great Britain
by Amazon